Cyhoeddwyd gyntaf gan Rily Publications Ltd 2019
Ailargraffiad gan Rily Publications Ltd 2020
Rily Publications Ltd, Blwch Post 257, Caerffili CF83 9FL
Hawlfraint yr addasiad © Rily Publications Ltd 2020
Addasiad gan Ceri Wyn Jones

Cyhoeddwyd gyntaf yn Saesneg yn 2019 fel *Super Duper You*
gan Puffin Books, Penguin Random House Children's
80 Strand, London WC2R 0RL

Gan fod llawer o rigymau yn y testun gwreiddiol, addasiad yn hytrach na chyfieithiad yw'r testun Cymraeg.
As there is a great deal of rhyming in the original text, the Welsh text is an adaptation rather than a translation.

Cyhoeddwyd gyda chymorth ariannol Cyngor Llyfrau Cymru.

ISBN 978-1-84967-567-3

www.rily.co.uk

SEREN ORAU'R SÊR

Sophy Henn

Addasiad: **Ceri Wyn Jones**

RILY

Dwi wedi dy adnabod ers
y cychwyn cyntaf un ...

I've known you
since you started.
I've seen a thing
or two . . .

a gweld pob dim,
pob tamaid

sy'n dy wneud ti'n
ti dy hun.

. . . or three, or four,
or five, or six!
In fact,
I've seen a few!

Wrth iti dyfu lan a lan
ni wyddost iti fod
yn nifer fawr o bethau bach
gwahanol iawn erio'd.

And something that I've spotted
while I've watched you grow and grow
is that you're lots of different things,
more than you could know!

Sometimes you're this,
sometimes you're that . . .

Rwyt weithiau'n un peth, weithiau'r llall ...
ac weithiau rhwng y ddau.
Pwy ŵyr beth sy'n dy wneud di'n 'ti'?
Pa ots? Fel hynny mae.

Sometimes you're in between!
It's hard to say what makes you, YOU.
I'll show you what I mean . . .

Rwyt weithiau'n ffrils a bows bach pert,
yn sglein, yn emau i gyd,
yn troelli-dawnsio i bob man
yn ysgafndroed o hyd.

Sometimes you are all twinkly,
with frills and jewels and bows.
You waft and float about the place,
all twirls and tippy-toes.

Ac weithiau rwyt ti'n beiriant braw,
yn ddewr, yn ddwrn bach croch,
yn frwd dros achub pawb drwy'r byd,
yn uchel iawn dy gloch.

And sometimes you are clanky,
all fighty, bold and brave.
You stomp about and shout out loud
and look for things to save.

Ti, weithiau, yw'r dihiryn drwg
mor arw â brwsh cans,

Sometimes you're a bad baddie,
thinking bad baddie thoughts.

ond wedyn ti yw'r arwr da
a'th siorts o dan dy bants!

Then suddenly you're super,
with pants outside your shorts!

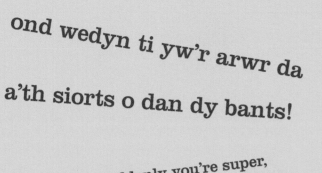

Pan wyt ti weithiau'n swci-swc,
ti'n giwt fel tegan glân,
yn gariad ac yn gwtsh i gyd
fel pwt o suo-gân.

Sometimes when you're cuddly
you're a flopsy cutie pie,
full of smiles and love and hugs,
a real-life lullaby.

Ac weithiau rwyt ti'n wirion bost,
y clown doniolaf un,

You're sometimes super silly,
the funniest I've known!

ond weithiau ei di'n dawel iawn
i'th gragen di dy hun.

And sometimes very quiet,
in a world all of your own.

Ac os yw pawb mewn streipiau smart,

Sometimes you're polka-dotty

rwyt ti mewn smotiau, sbo.

when everyone's in stripes.

Ni wyddost weithiau
beth wyt ti –

does dim yn
gwneud y tro.

Sometimes you don't know
what you are . . .

and nothing is
quite right.

Ond heb yr amryw bethau hyn,
   ni fyddet ti yn ti!
A rhywun arall fyddet, wir,
   heb 'rheini, dybiwn i.

But those things that make you different
   are the things that make you, you!
Without those things you're someone else,
   and that would never do!

Y gamp yw peidio â becso am
yr hyn nad ydwyt ti.
Mae'n well mwynhau a brolio'n awr
pwy ydwyt, a chael sbri.

The trick is not to worry
about what you are not.
Instead enjoy the things you are
and all the brills you've got!

Mae'n siŵr y byddi'n bethau bach

Yes, you're so many different things . . .

gwahanol fwyfwy 'to.

You'll be so many more.

Does dim i'th rwystro di rhag bod
yn bopeth yn dy dro.

There really is no limit
to what you have in store.

Gofala gofio, ni waeth beth,
dy fod ti yn dy fêr

But please try to remember,
with everything you do . . .

yn frwd,

yn falch,

yn ddisglair iawn . . .

be bold,
   be proud,
      be brilliant . . .

FEL SEREN ORAU'R SÊR.

A SUPER DUPER YOU!

Ti yw ti – paid byth ag anghofio hynny.
Mae pawb yn wahanol, ac mae dathlu hynny yn bwysig iawn!

You are you, don't ever forget that.
Everyone is different, and it's important to celebrate that!

Am wybodaeth bellach: www.stonewallcymru.org.uk

For more information: www.stonewallcymru.org.uk